目錄

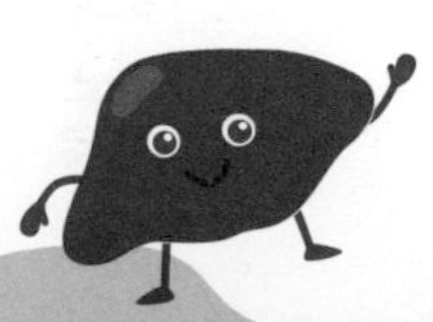

奇妙感官和身體的秘密

每個人都一樣，有眼睛、嘴巴，有手有腳；但同時每個人都不一樣，我們的五官長相不一樣，手腳有長有短，身體有胖有瘦。儘管外表不一樣，我們身體內外各部分的運作方式都是差不多的。讓我們用感官探索外界，學習知識，認識自己的身體吧！

感官世界

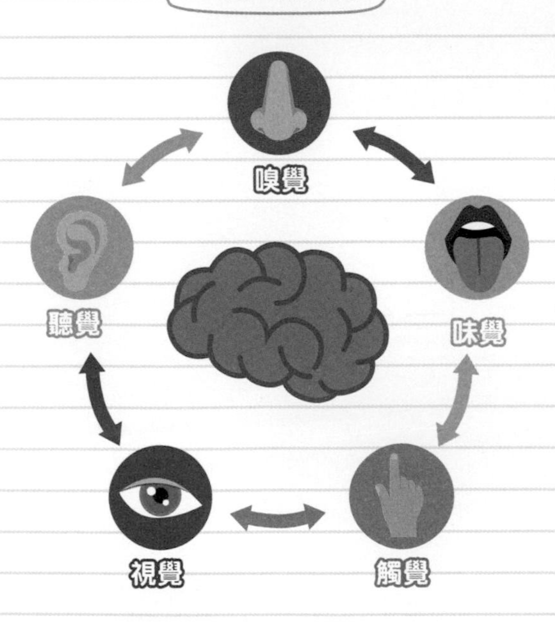

我們用眼睛去看，用耳朵去聽，用鼻子去聞，用舌頭去嚐味道，用手指或皮膚去觸摸物件，靠着這些感官將資訊傳到大腦分析，我們就可以隨時知道外面的世界正在發生什麼情況。

舉例來說，人體表面都有皮膚覆蓋着，皮膚內有不同的接收器，分別接收輕觸、壓力、痛覺及溫度等刺激，觸覺接收器在嘴唇和指尖等處分布得較密，所以這些部位的觸覺最敏感。

像皮膚一樣，舌頭也有感知觸覺的能力。除此之外，舌頭當然還可以感受到食物的酸、甜、苦、鹹和鮮味。這些味道在舌頭的不同區域會有不同的敏感度，例如用舌頭最前端可嚐到更鹹的味道，兩側則是酸味區，而所謂的鮮味則是一種令人喜悅的味道，在舌頭各區域的味蕾都可偵測到。

舌頭上的味蕾區域

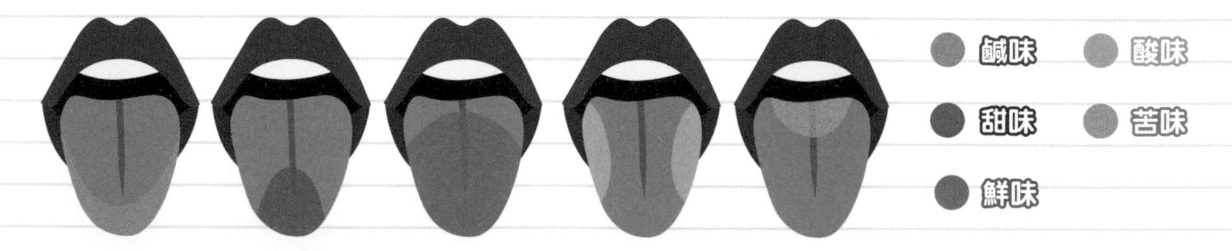

人體各部分

從外表上看，人體可分為頭部、頸部、軀幹和四肢四部分。頭部有五官，即眼睛、嘴巴、耳朵、眉毛和鼻子，頭蓋骨內則是最重要的器官：腦；軀幹可分為胸部和腹部，裡面有各種內臟器官；四肢即雙手和雙腳。

我們的身體

體內的秘密

認識外表、感知世界，這些都是我們與生俱來的能力，但在我們的皮膚之下、身體之內是怎樣運作的呢？這就需要一點一滴地深入學習了。

在我們的身體內，有不同的系統在同時運作着，這包括交換氣體的呼吸系統、吸收營養的消化系統、運送物資的循環系統、傳遞信息的神經系統、抵抗病菌的免疫系統、生殖和排泄系統，以及肌肉和骨骼架構等等。互相分工合作，才能維持生命、健康成長。接下來這本書就會帶你進入人體的奇妙世界。

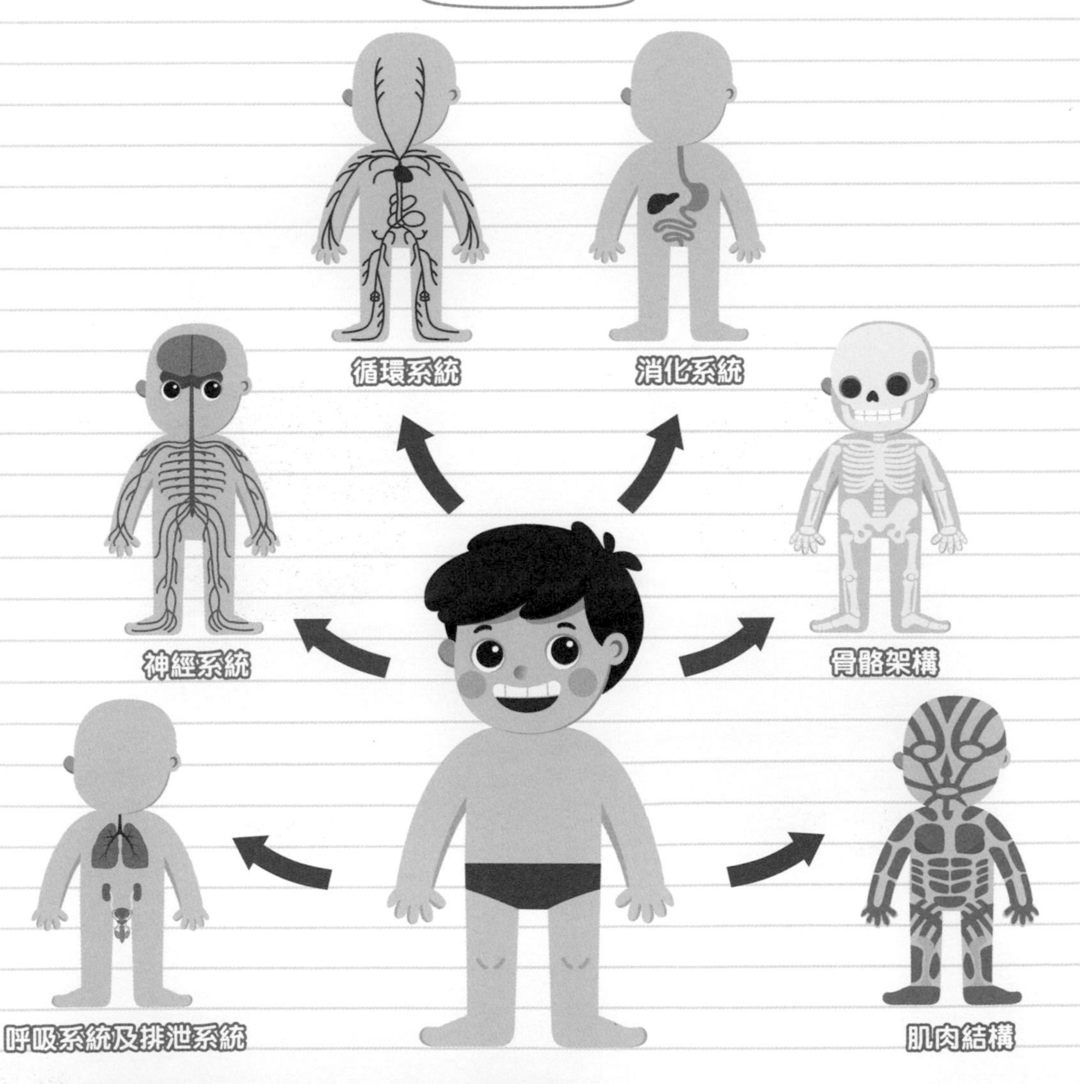

視覺、聽覺以及嗅覺實驗

有沒有想過，我們走在回家的路上時，每時每刻都在用眼睛看路面，用耳朵聽路上車輛飛馳而過的聲音，然後偶然會飄來污水渠的難聞氣味。這些景象、聲音和氣味都是由各種感官帶入意識，使我們每時每刻都可以知道外面的世界所發生的事，並作出適當應對。

耳朵

耳朵不但可以聽聲音，還可分辨出 40 萬種不同的聲音。聲音和光線一樣是能量，光線能在真空中傳播，但聲音要有媒介才能傳播，例如以空氣振動來傳播，而耳朵的設計就是方便捕捉和傳遞音波振動。

耳朵的結構分為三部分：外耳、中耳和內耳。外耳即長在外面看得到的部分，負責收集聲音到外耳道。聲音令中耳的鼓膜產生振動，同時令旁邊的三塊聽小骨上下振動，將聲音放大並傳到內耳。內耳有充滿了液體的耳蝸管道，內有數以千計的毛細胞收集振動資訊，之後通過聽神經傳遞到大腦。內耳還有由三個互相垂直的小環所組成的器官，名為「半規管」，功能是維持頭部立體空間的平衡感。頭暈的其中一個原因就是半規管運作出現問題。

耳朵的內部結構

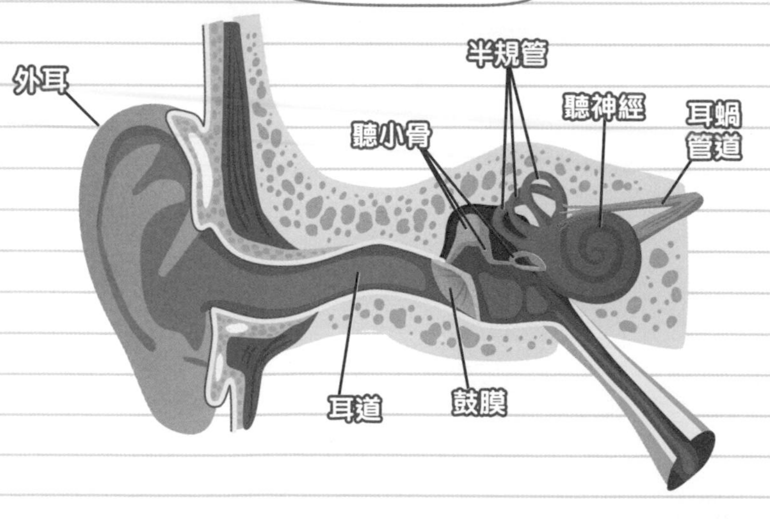

人類的眼睛可以看到形狀及顏色，像照相機和錄影機那樣把影像「攝入」到腦袋中，具體是怎樣運作的呢？

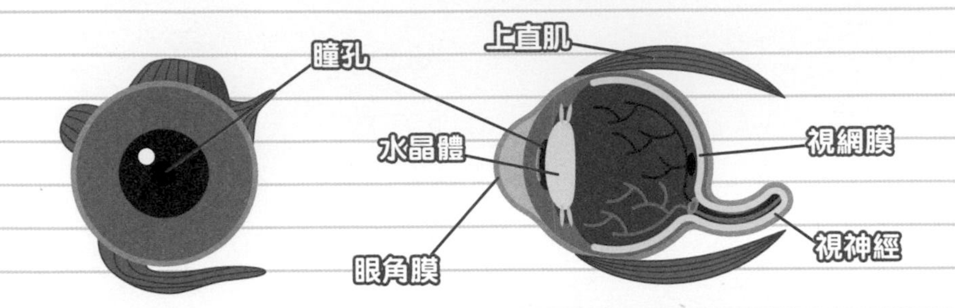

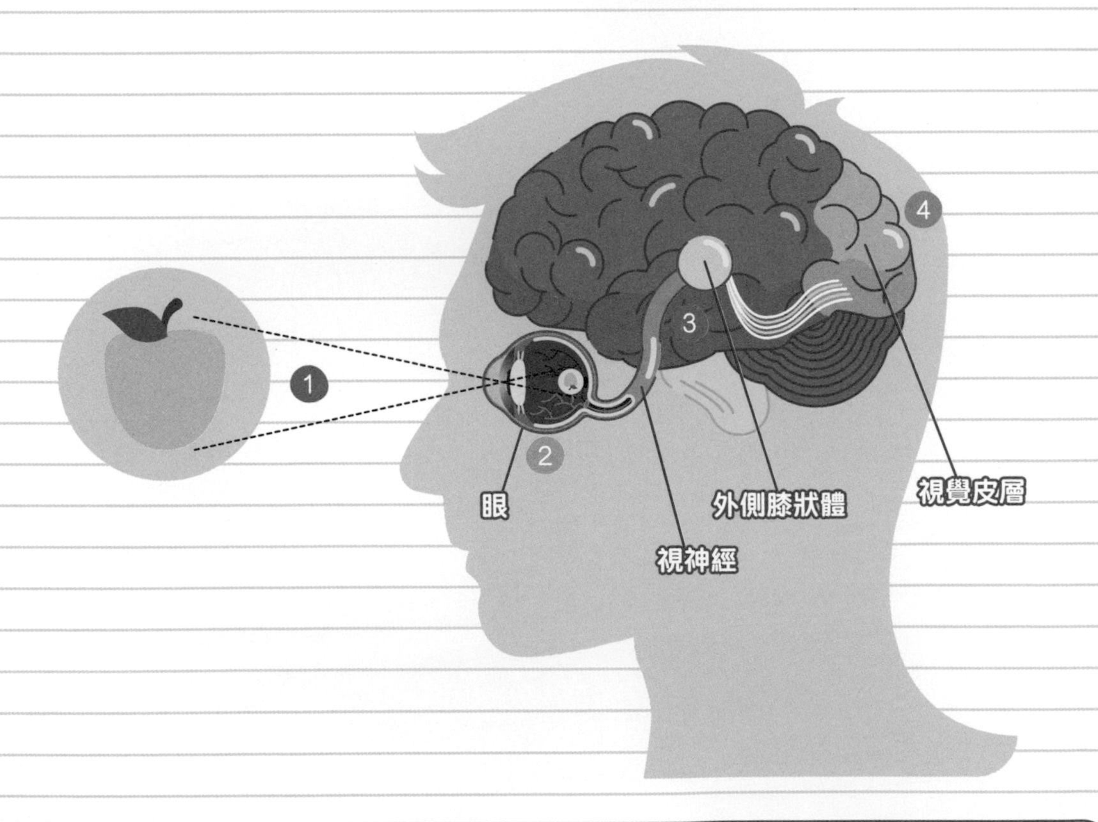

1 首先，來自物件的反射光線穿過眼角膜和瞳孔。

2 聚焦在水晶體後的視網膜上，這時的影像是上下調轉的。瞳孔和水晶體分別用來調節光線進入的強弱和距離。

3 之後視網膜上的感光細胞將影像訊號沿視神經傳遞到大腦。

4 經大腦的視覺皮層處理後，我們就看到正常的影像了。

鼻子

我們可以聞到花香，也可以聞到臭味，但氣味是什麼東西呢？氣味有實體嗎？我們可以做一個簡單的實驗：打開手電筒，用手抓住光線，然後在黑暗的房間中鬆開手放光線出來，做得到嗎？明顯做不到，因為光線沒有實體。

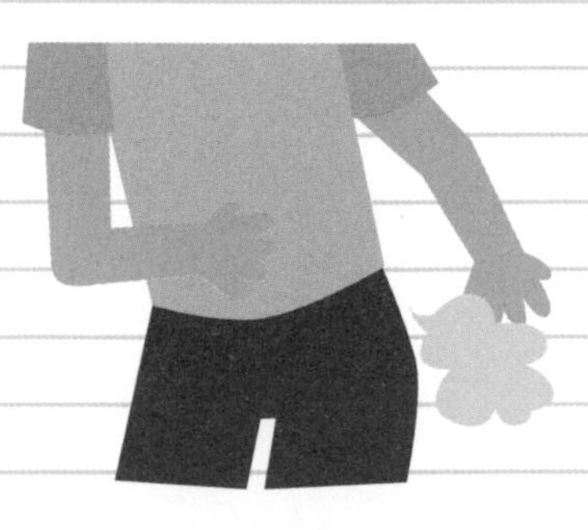

再試試做另一個實驗：用手捂着屁股放一個屁，將屁握在手中，然後到另一個地方放出來，聞到臭味嗎？這可是不難成功的實驗喔！那是因為氣味其實是有實體的小分子，只是太小，肉眼看不到罷了。

氣味分子進入鼻腔後，會附在鼻腔內的黏液組織上，那裡有大量的嗅覺感受器。氣味分子和感受器結合的時候就會產生神經脈衝，脈衝通過嗅神經傳遞到大腦的嗅覺中樞後，就能分析出氣味了。

鼻子內部圖

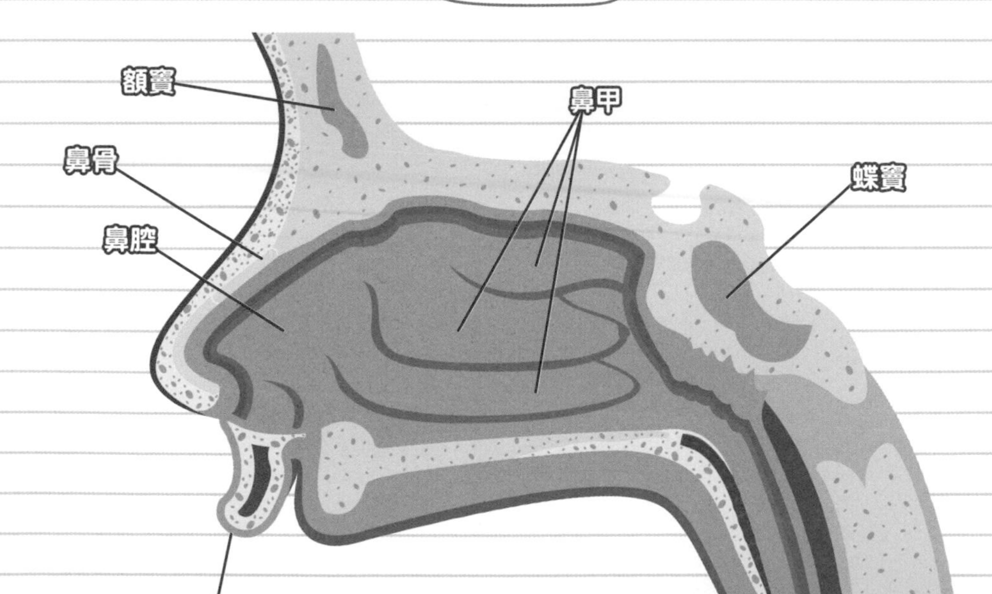

食物走過的路：消化系統

肚子餓了，要吃點東西，吃飽了才有力氣去玩！我們每天都吃早午晚餐，外加茶點或宵夜。吃進去的食物在身體內旅行一段時間後，排出來的只有咖啡色的大便，是食物的殘渣。那食物的主要部分去哪裡了呢？

食物之旅

第一站：口腔和牙齒

小孩子通常有 20 顆乳牙。6 歲起乳牙由門齒開始脫落，逐一換成恆牙。成年後會有 32 顆上下對稱的恆牙，分別為 8 顆門齒、4 顆犬齒、8 顆前臼齒和 12 顆後臼齒，在最前面的門齒是用來切割食物的，犬齒用來撕咬拉扯，臼齒則用來磨碎食物。而舌頭會攪拌和磨碎食物，以便和口中的唾液混合。唾液含有消化酵素，幫助分解食物中的澱粉，還令食物變得潤滑和容易吞嚥。

第二站：食道

食物「咕」一聲吞下去了，很快經過喉嚨到達食道，垂直的食道另一端連接着胃。食道壁上的肌肉會像波浪那樣蠕動，將食物向前推進，食物就會到達胃裡。

第三站：胃

胃的形狀很像餃子，餃子皮包着很多餡料，而胃長成那樣也是為了容納更多食物，能因應食物多少而膨脹或縮小。胃會分泌胃液，胃液中有鹽酸和胃蛋白酶，用來分解蛋白質，胃酸也可以殺死食物中的有害細菌。食物經過胃的攪拌、擠壓和分解後，變成半流體的物質，名為「食糜」，接着進入小腸。

第四站：小腸

小腸是人體最長的器官，長度可達 7 米，食物在小腸內停留約 3 至 8 小時。小腸內的消化酶可分解蛋白質、脂質和醣類。小腸不但分解食物，也會吸收食物中的營養。小腸內壁有很多手指形狀的絨毛結構，以增加腸內表面積，方便快速吸收養份進入血液。

第五站：大腸

食物來到大腸時已沒什麼營養了，大腸也沒有消化功能，只會吸收餘下的水份，然後將殘渣經過直腸由肛門排出，這就是糞便。大腸中有很多細菌，細菌會分解食物殘渣，並產生帶臭味的代謝物，那就是糞便難聞氣味的來源了。

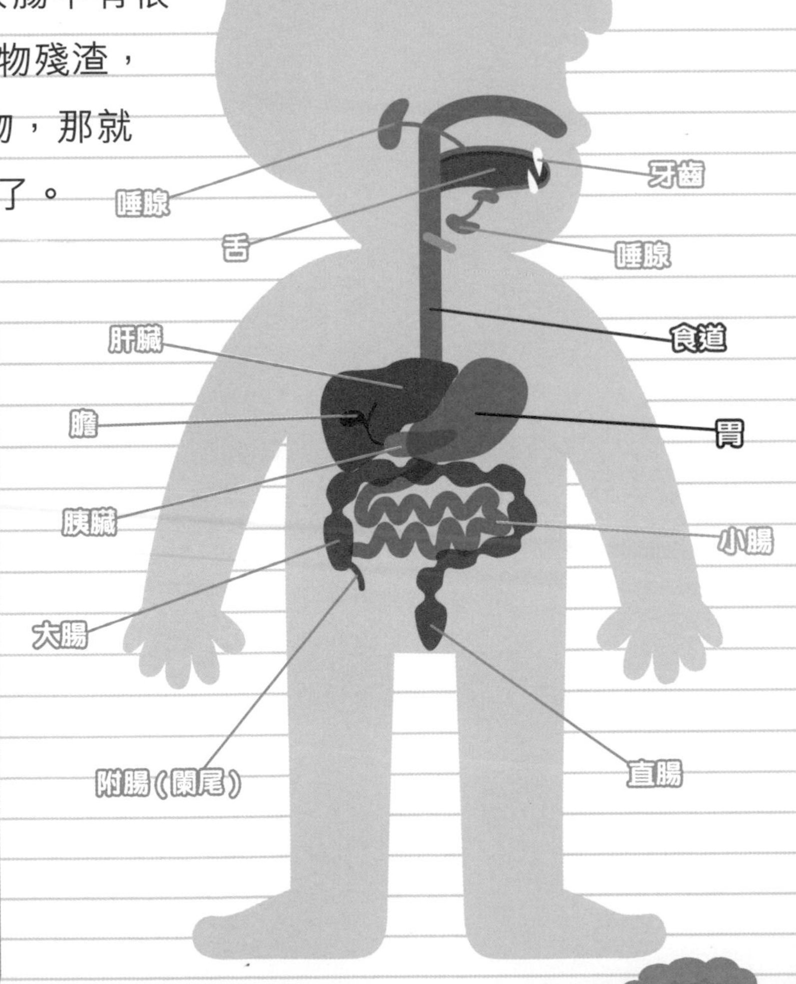

肝臟和胰臟

在消化道旁邊的巨大肝臟和深藏腹腔的胰臟是做什麼的呢？

肝臟和胰臟會分泌不同的消化酵素，如肝臟可以製造膽汁以分解油脂；胰臟會製造胰液，可分解蛋白質、脂質和醣類。膽汁會臨時儲存在膽囊，之後和胰液一樣，進入小腸中工作。

除此之外，口腔中的唾腺、胃壁內的胃腺和小腸壁的腸腺也會分泌不同種類的消化酵素，這些和肝臟及胰臟統稱為「消化腺」。

時時刻刻在交換：呼吸系統

食物吃進口會感受到味道。我們每一刻都在呼吸，但卻沒什麼感覺，那是因為呼吸可由自主神經系統自動控制，這樣就是你會忘了進食，但不會忘記呼吸的原因了。就和自動駕駛一樣，有需要時可用手控制方向盤，同樣地，我們可用大腦意識去控制呼吸的深淺，平時則讓呼吸系統自行運作，吸入氧氣，呼出二氧化碳和水份。

呼吸器官

鼻子和橫膈膜

我們可以用鼻子呼吸，也可以用嘴巴呼吸，但其實真正將空氣吸入的力量是來自橫膈膜的。橫膈膜位於肺部的下方，當橫膈膜收縮時，腹部內的器官會向下移動，使胸腔空間變大，胸腔內的氣體壓力相對於外面的大氣壓變小，氣體就被吸入體內。

因此，鼻子也只是通道而已，但用鼻子呼吸也是有好處的。鼻子裡的鼻毛可以幫忙過濾顆粒和病菌，吸入的空氣也較由嘴巴進入的溫熱。

氣管和支氣管

氣管的位置在咽喉以下，食道之前，主要由透明軟骨和肌肉組成。氣管向下分支成支氣管，並分別進入左右肺部，如倒放的樹杈那樣。支氣管末梢又分支為許多小支氣管，並在終端連接上肺泡。

氣管和支氣管除作為通道之外，內皮表面也長着纖毛，可將異物向上推送至咽喉，然後咳嗽出去。

肺和肺泡

肺的作用就是進行氣體交換，將氧氣運輸到血液中，並將二氧化碳從血液中排出，這項工作就在肺泡裡進行。左右肺共有約3億個肺泡，都與肺部微絲血管緊密相連着。氧氣由肺泡進入靜脈血液後，就變為含氧量高的動脈血液，再通過循環系統輸送到全身器官。

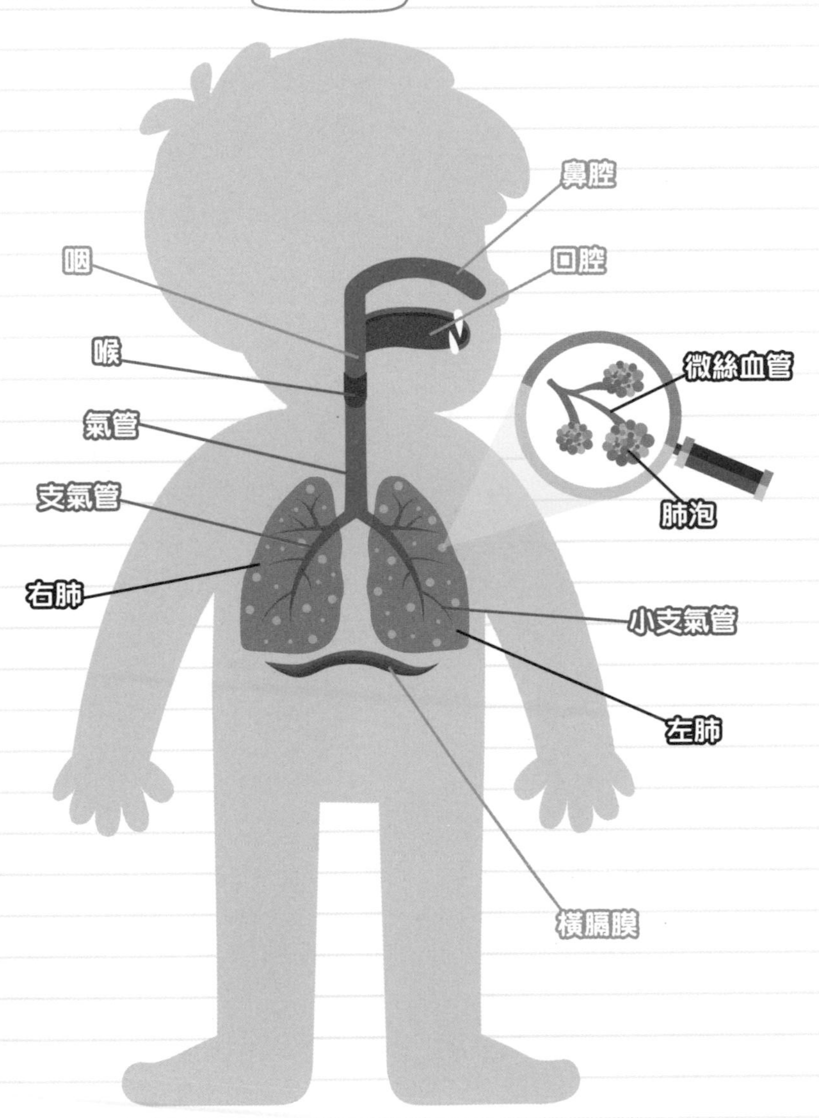

不要走錯路！

食物和空氣都會經過咽喉，當中的食物和水會進入食道，空氣則進入氣管，那怎樣防止走錯路呢？

在氣管的入口有一個軟骨，名為「會厭軟骨」。在吃東西的時候會厭軟骨會遮蓋氣管，防止食物進入。但若我們一邊吃飯一邊大笑或打鬧，就很容易影響吞咽動作的協調，使食物走入氣管，這時就需要劇烈的咳嗽把食物或水從氣管中噴出來。

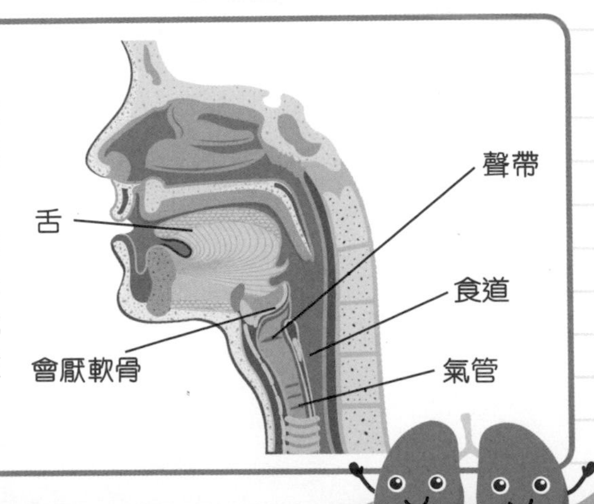

體內運河：血液循環和心臟

中國古代由北至南修建了幾條運河，連接上西東走向的天然河流，方便運送貨物到各地，功能和人體內的血液循環系統相似。血液在血管中流動，不斷在人體內運送氧氣、營養物質和各種激素，帶走二氧化碳和代謝廢物。

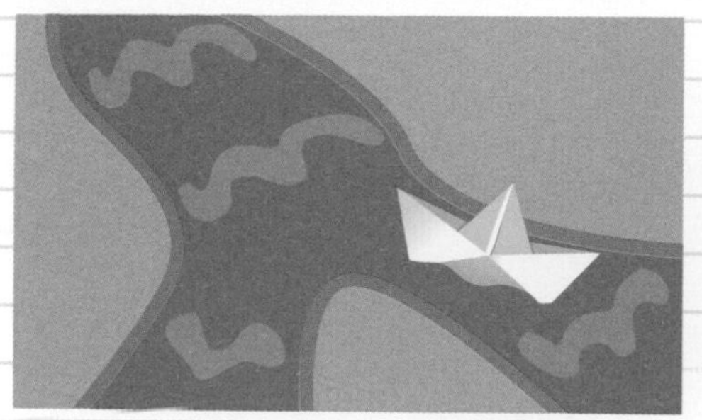

心臟怎樣運作？

血液向下流動可以靠地心吸力，但要向上流動就需要額外的推力。人體很多器官都要不斷靠血液帶來的氧氣和養份才能運作，當然包括腦部在內，所以我們需要不停跳動的心臟來泵注血液到各處。

從外表看來，心臟是與拳頭相若大小的一團肌肉。解剖心臟研究內部結構時，就可看到心臟分為左右兩側，右側包含右心房和右心室，負責收集來自全身靜脈、帶二氧化碳的血液，並泵注到肺部，在肺泡中交換氧氣。心臟左側包含左心房和左心室，負責收集從肺部送回來的含氧血，並通過動脈泵注到身體各部分。

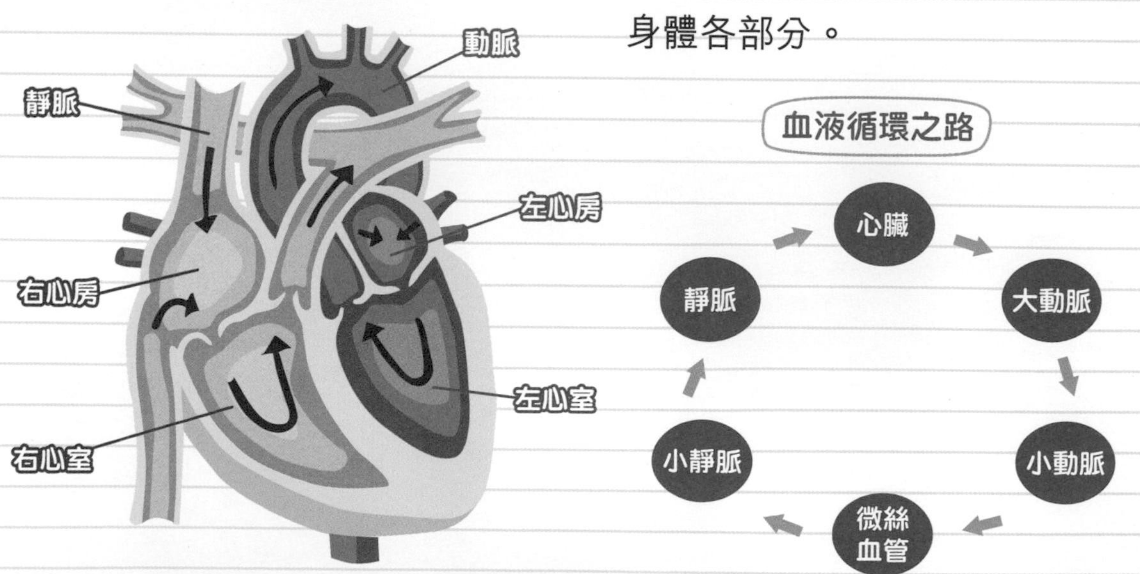

為什麼叫靜脈和動脈？

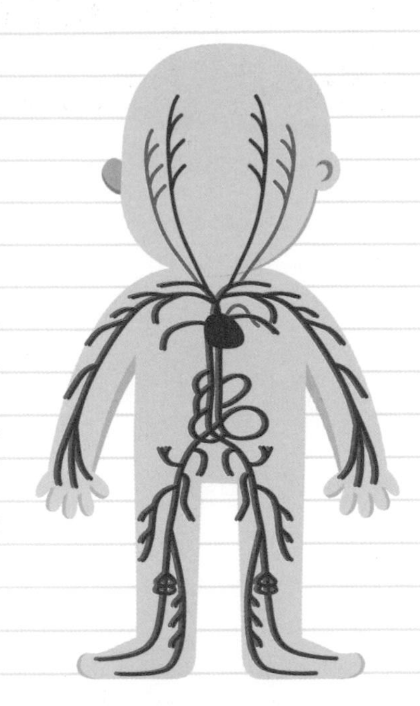

靜脈和動脈都遍佈全身，分別是動脈摸上去時可感受到搏動，靜脈摸上去就是靜悄悄的沒感覺。不過，靜脈有時在皮下是隱約可見的，動脈就藏得比較深，那是因為動脈承受着心臟搏動的壓力，一旦破損出血量會很大，所以要保護好。靜脈和動脈內血的顏色也不一樣，動脈血因為含氧量高，所以是鮮紅色，而靜脈的血則是紫紅色的。

微絲血管

除了動脈與靜脈，還有一種血管叫微絲血管。微絲血管闊度約等於一個紅血球直徑，在肺部中連接着動脈與靜脈。氧氣和二氧化碳的交換就在微絲血管進行。

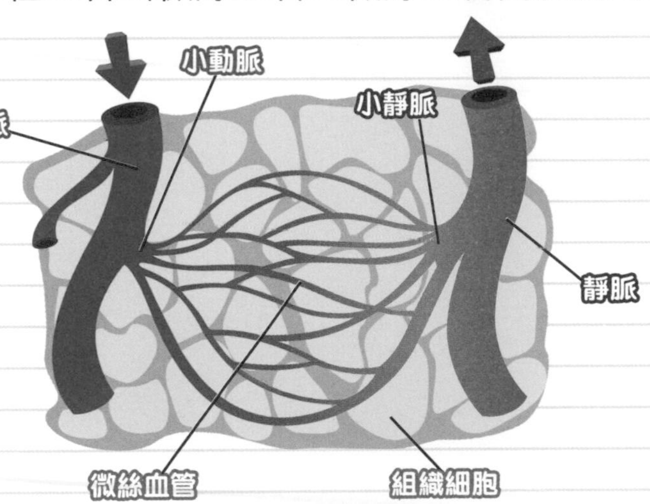

血液成分

血液中大部分的成分是血漿，血漿裡有養份和各種蛋白質，如抗體、激素和酵素等。除血漿外，血液中的重要成員包括可攜帶氧的紅血球、可以吞掉入侵病菌的白血球，以及可以使血液凝固、令傷口快速復原的血小板。這些成份明顯和身體是否健康息息相關呢！

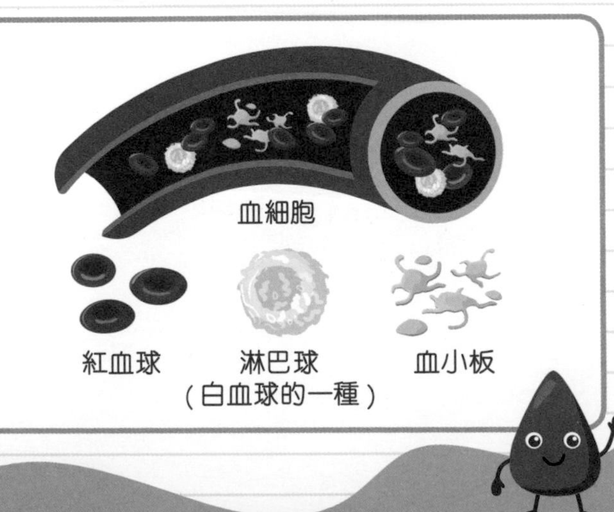

戰鬥或逃跑：大腦和神經系統

我們會用手觸摸物件、用眼睛去看、和人交談、用五官去探索這個世界，然後通過記憶、思考作出最適合的決定，並對外在世界作出回應，這都得力於我們有複雜和有效的神經系統。

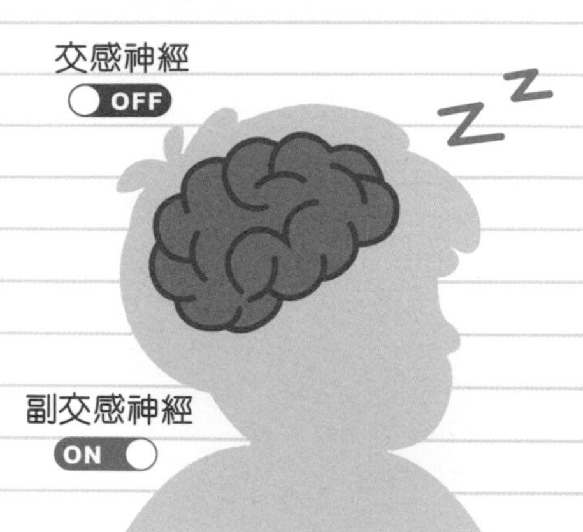

除了對外，人體內的體溫、血糖和水分等等也需要維持在固定的範圍內才能正常運作，這些體內調節的工作也需要神經系統的參與。

大腦的分工

人類有功能強大的大腦，提供記憶、解難、語言能力，同時控制情感和身體活動，維持體內平衡。這麼多功能當然需要分工合作，於是大腦就分成不同區域，各司其職，任何部分受到損害都會失去一部分的功能，所以需要堅硬的頭蓋骨保護，裡面還有三層腦膜和腦脊液作為緩衝以抵禦撞擊。

腦部可分為大腦、小腦和腦幹。大腦有左右兩邊，左腦控制身體的右邊，右腦控制身體的左邊。大腦皮層分為語言和運動區、嗅覺和聽覺區、體感和觸覺區，以及視覺區等，各自負責不同的範疇。

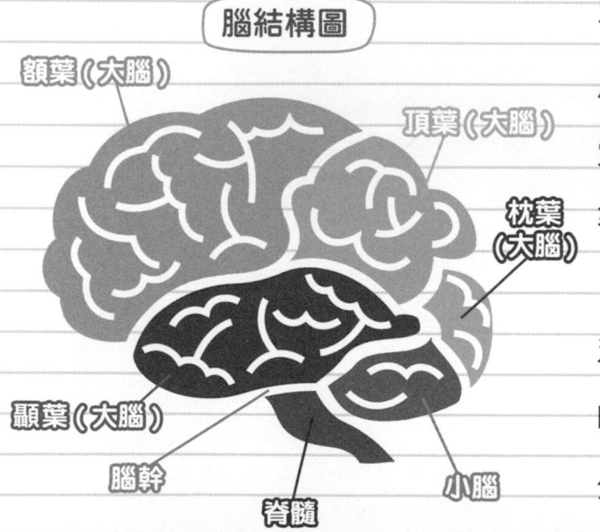

小腦的功能之一是協調骨骼和肌肉的活動；腦幹則負責調節呼吸、心跳、血壓、消化等基本生命機能。

中樞神經和周邊神經

神經系統由中樞神經和周邊神經系統組成，中樞神經系統包括腦和脊髓。

周邊神經系統包含腦神經、脊神經及分布於體內各處的神經纖維。周邊神經系統又分為軀體神經系統和自主神經系統。軀體神經系統有意識地接收外界訊息和控制肌肉骨骼的運動；自主神經系統則無意識地自動控制各內臟器官有序地工作。

神經系統

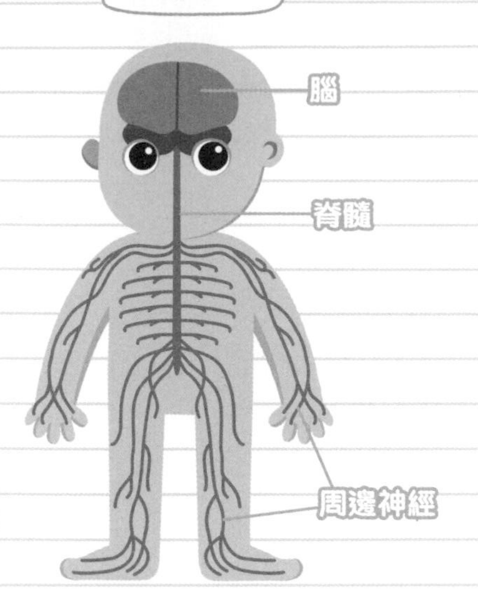

交感神經和副交感神經

周邊神經的自主神經系統可分成交感神經系統和副交感神經系統，當我們感受到壓力和危險時，交感神經系統就會活躍，啟動戰鬥或逃跑的模式，出現心跳加速、血壓上升、呼吸變快等身體反應。相反，當我們處於安全的環境時，副交感神經就開始工作，啟動鬆弛休息、補充修復的模式。如右圖所示，交感神經和副交感神經通過啟動各器官的不同動作來發揮作用。

神經系統啟動的器官

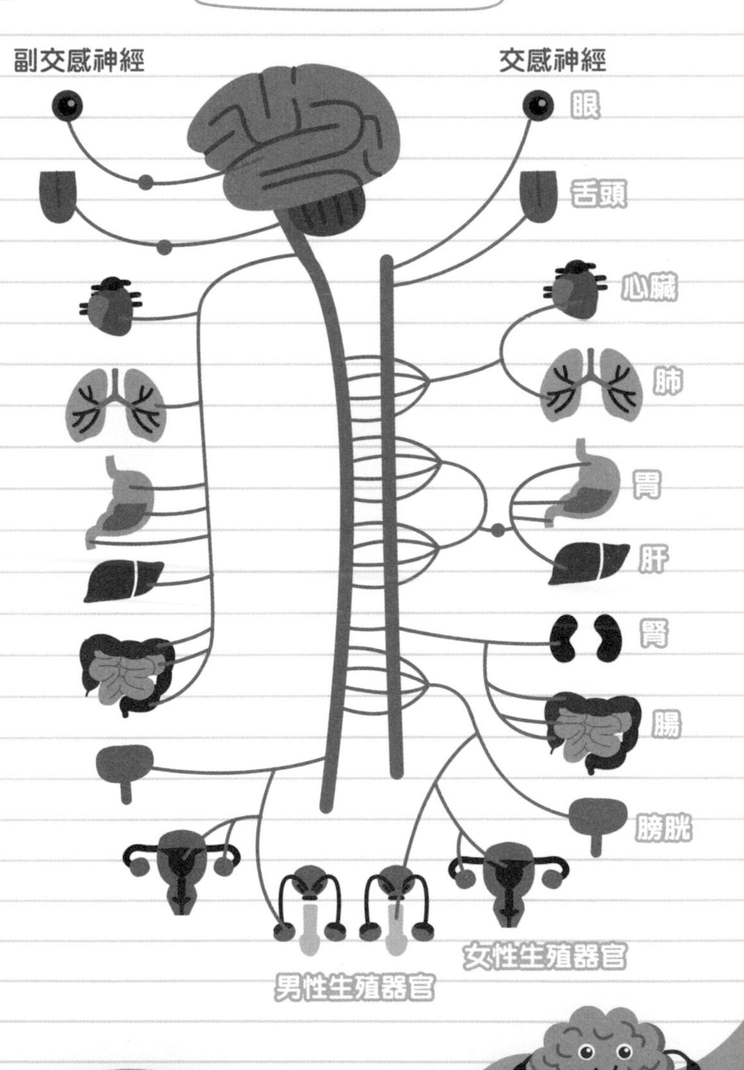

看不見摸得到的骨骼

我們的皮膚長在外面，骨骼長在裡面。骨骼看不到但可以摸得到，牛羊、鳥類甚至是魚類的情況都差不多。那麼，昆蟲和蝦蟹有骨骼嗎？其實也是有的，但牠們的骨骼都長在外面，名為外骨骼；而脊椎動物如人類骨骼則名為內骨骼。內骨骼的好處是行動方便，也可以隨身體生長；外骨骼動物則需要脫殼（脫掉外骨骼）才可以繼續生長。

長骨放大鏡

身體四肢的骨頭主要是長骨，長骨由骨膜、骨質和骨髓組成。骨膜是纖維膜，分別覆蓋在骨頭外面（外膜）和骨髓腔面（內膜）。骨質是骨頭的主要組成部分，在長骨兩端的骨質名為海綿骨，海綿骨網眼內充滿骨髓。在長骨骨幹部分的骨質名為密質骨，由緊密排列的骨板和骨細胞構成，比海綿骨有更強的抗壓力。骨髓在胎兒時期有造血功能，隨着年齡增長，大部分骨髓逐漸變成沒有造血功能的脂肪組織。

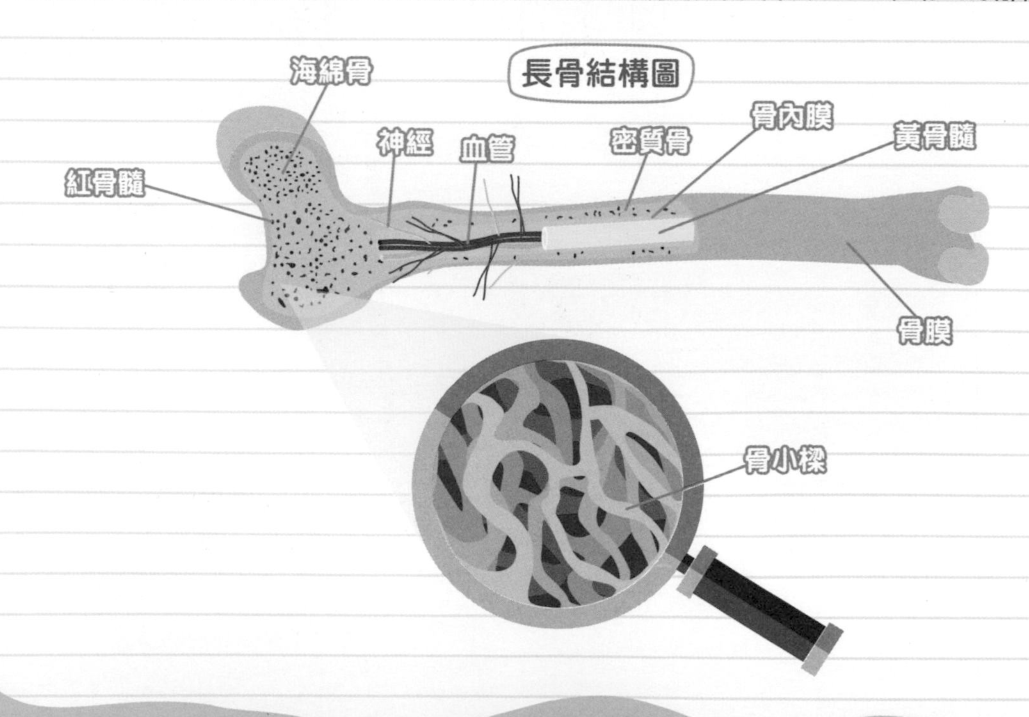

支撐身體的骨架

人體內的骨骼支撐起整個身體，同時保護着內臟。骨骼約佔體重的 20%。骨與骨之間的關節以軟骨或韌帶連接起來，結合肌肉提供運動的功能。人體的骨骼系統可按位置分成中軸骨和四肢骨，重要的成員如下：

人體骨架

顱骨
椎骨
胸骨
肩胛及上肢
肋骨
骨盆
下肢

顱骨（中軸骨）
包括保護腦部的頭蓋骨和支撐眼、耳、口、鼻的面骨。

肋骨和胸骨（中軸骨）
肋骨共有 12 對，用以保護心、肺和血管等重要器官。

肩胛及上肢（四肢骨）
包括鎖骨、肩胛骨、手臂和手掌裡的骨頭，以及指骨。

椎骨（中軸骨）
脊椎用來支撐背部，包括 7 塊頸椎、12 塊胸椎、5 塊腰椎、1 塊骶骨和 1 塊尾骨。

骨盆及下肢（四肢骨）
骨盆保護膀胱、直腸和女性生殖器官。連接骨盆和膝蓋的股骨是人體最長和最強的骨頭。

不同形狀的四種骨頭

成年人有 206 塊骨頭，有各種大小和形狀，可分為四類：

1. 長骨：長骨位於四肢（如股骨、肱骨），長度遠大於寬度，是運動的主力。
2. 短骨：短骨的形狀呈立方形，有多個面與相鄰骨頭連接，主要分佈在腕關節和踝關節等要承受壓力及會靈活運動的部位。
3. 扁平骨：扁平骨呈彎曲的薄板狀，面積較大，如頭蓋骨和胸骨。
4. 不規則骨：不適用上面三種分類，形狀不規則的骨頭，如椎骨。

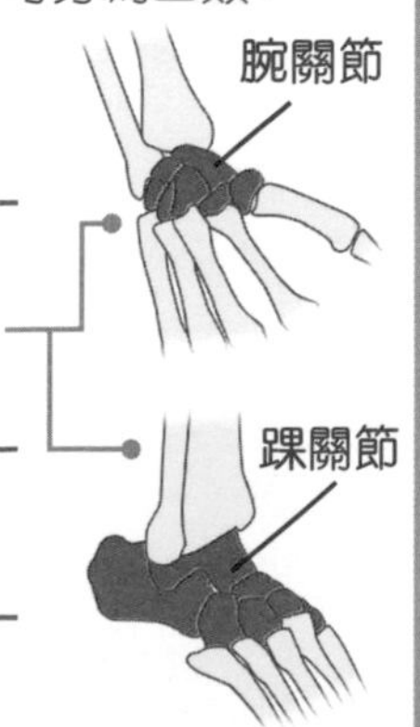

肌肉的力量從哪裡來？

大家都想成為力氣大、跑得快及平衡力好的人，這些都是來自肌肉的運動能力。肌肉和骨骼合稱為運動系統，兩者互相配合才能做好每個動作。增加對肌肉的認識，或會有助你將來鍛鍊好身體呢！

肌肉的簡單分類

人類的四肢和軀幹有大量的肌肉，這點我們都知道，因為我們每天都在有意識地控制這些肌肉做各樣的事情，如跑步追巴士、拿着筆寫字等等。這些主要附於骨骼上的肌肉是隨意肌，即受意識支配的肌肉。

但你知道嗎？在體內的胃、腸等器官也附着肌肉，心臟也是塊大肌肉，但我們無法隨意控制這些肌肉，這些肌肉會自動運作，也不易疲勞，名為不隨意肌。

總的來說，人體有三種肌肉：

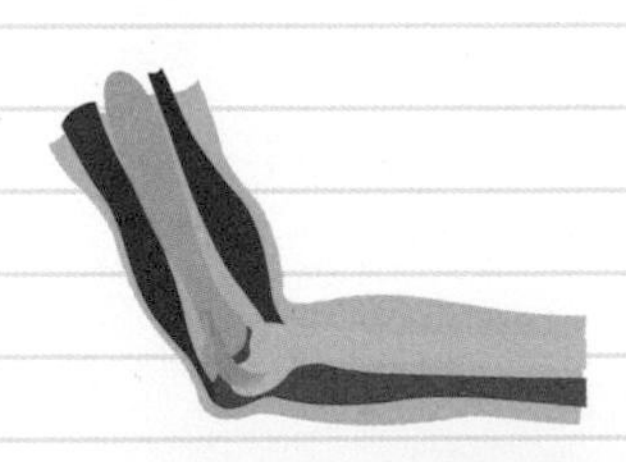

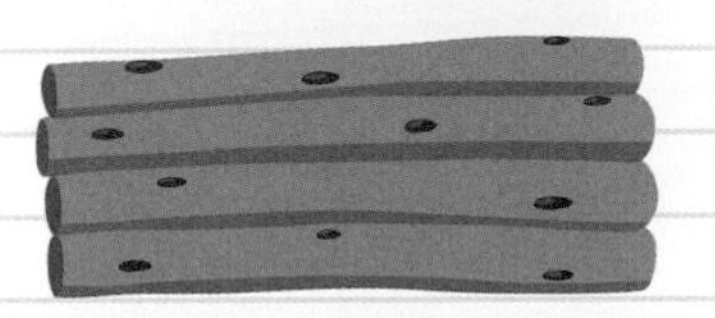

骨骼肌

附於骨骼上的肌肉。在顯微鏡下可以看見明暗相間的橫紋，所以也稱為「橫紋肌」。骨骼肌受意識支配，但容易疲勞。

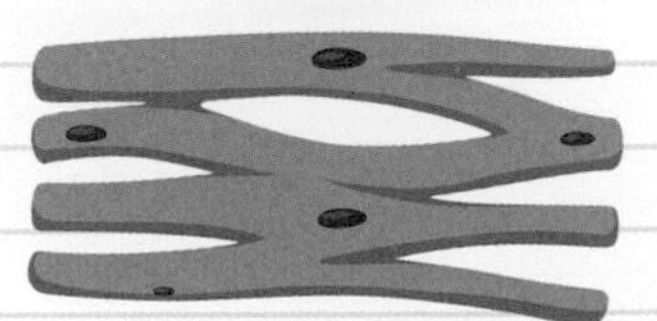

心臟肌

心臟肌也是橫紋肌，只存在於心臟中，可以一直不停跳動。

平滑肌

平滑肌沒有橫紋，存在於內臟器官如胃、腸、血管等的管壁，協助內臟蠕動，也不易疲勞。

肌肉收縮

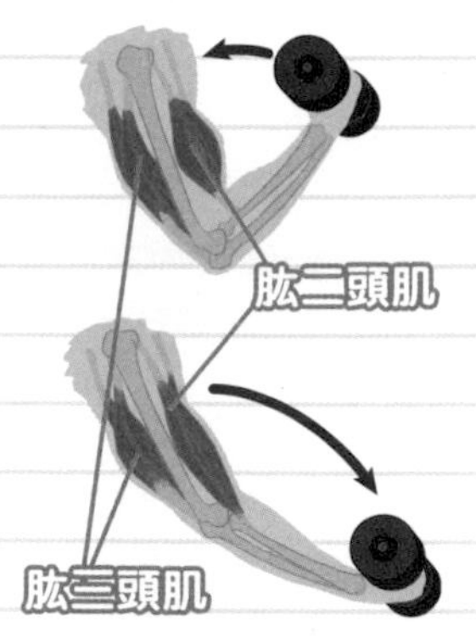

無論是哪種肌肉，運動的力量都來自肌肉收縮。舉例來說，健身運動員展示肌肉時，例行動作都會屈起上臂的肌肉，那是連接肩胛骨和前臂的肱二頭肌，收縮時會明顯鼓起。我們的肌肉平時是放鬆的，當大腦發出訊號，通過神經傳到肌肉時，上臂的肱二頭肌就會收縮，手臂就會曲起。曲起後若要伸直，就要上臂下方的肱三頭肌收縮，手臂就放直了。

人體主要骨骼肌

人體的骨骼肌約佔體重的 35% 至 45%，多是一對對地排列在骨骼上，通過肌腱附在骨骼的兩端。右圖和下表展示主要骨骼肌和相關動作。

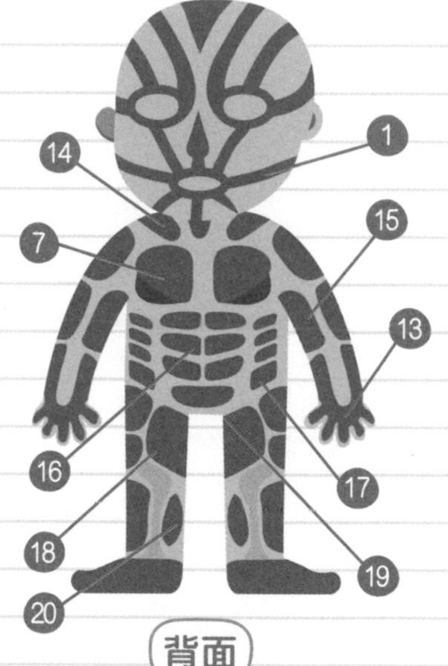

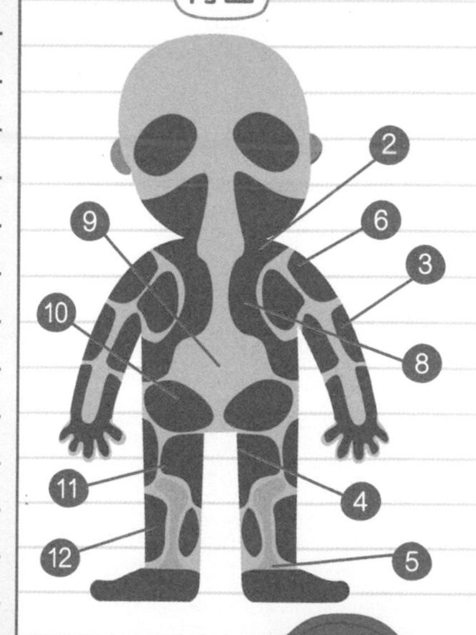

1	面部肌肉：牽動面部皮膚以展示各種表情
2	斜方肌：可將頭和肩向後拉的背部肌肉
3	肱三頭肌：收縮時可伸展手肘
4	內收肌：控制大腿髖關節的內收和外旋動作
5	跟腱：協助行走、站立和維持平衡，俗稱「腳筋」
6	三角肌：外展肩膀及使手臂向多個方向運動
7	胸大肌：將手臂拉近身體，也是呼吸用的肌肉
8	背闊肌：可將手臂向下和向後拉的背部肌肉
9	豎脊肌：牽引脊柱做出後仰的動作
10	臀大肌：幾乎和所有腿部運動都相關，是體內最大的肌肉
11	大腿後肌：使膝蓋屈曲
12	腓腸肌：使足部向下彎曲
13	手指屈肌：使手腕、手指彎曲
14	胸鎖乳突肌：可使頭部向前或轉動的頸部肌肉
15	肱二頭肌：收縮時可屈曲手肘
16	腹直肌：使身體向前或向側面扭動
17	腹外斜肌：協助身體向側面扭動
18	股四頭肌：使膝蓋伸直
19	縫匠肌：使腿部彎曲和將膝蓋舉起，是人體最長的肌肉
20	比目魚肌：控制踝關節屈曲

皮膚和皮膚的延伸：指甲和毛髮

所謂「切肉不離皮」，脊椎動物都有皮膚，皮膚覆蓋着整個身體，所以可算是人體最大的器官。皮膚會隨着年齡成長，主要功能是阻隔外來物質對人體的傷害，同時也避免體內物質如水份快速流失，像盾牌一樣保護身體。

皮膚的功能

皮膚是身體的第一重屏障，具適當的防護作用，其基本功能如下：

1. **保護**：皮膚表皮層有聰明的朗格罕氏細胞及角質細胞，當有有害物質試圖入侵體內，便會馬上通報體內免疫系統，啟動防衛，阻止病毒、有害物質入侵
2. **知覺反應**：皮膚表面有很多神經末梢，對於觸覺、壓力、溫度、疼痛等會作出即時反應
3. **調節體溫**：體溫上升或下降時，皮膚的血管會擴張散熱並流汗，或收縮以保存熱能
4. **吸收**：皮膚可緩慢而有限地攝取養分
5. **呼吸**：能少量吸入氧氣和呼出二氧化碳
6. **合成作用**：利用紫外線的照射，讓身體製造維他命 D
7. **防止水分散失**：皮膚流汗時會分泌皮脂，形成皮脂膜，可防止水分流失，又能抑制皮膚上的細菌生長

指甲和毛髮生長的原因

指甲是名為角蛋白的一種蛋白質，由皮膚角質層硬化而生成。指甲本身不含有活細胞，但指甲後方的皮膚活細胞會不斷分泌角蛋白令指甲生長。所以每隔一段時間要剪指甲，以免指甲太長，藏了很多污垢影響衛生。

甲尖
甲床
甲褶
甲半月
表皮

頭髮和指甲類似，也是由皮膚角質層演變出來的結構，頭髮或身體其他部位的毛髮主要成份都是角蛋白。毛髮由皮膚中的毛囊長出來，是哺乳動物的特徵。

皮膚和毛髮的結構

皮膚佔了身體大約 15% 的重量，看起來很簡單，其實結構也頗為複雜。皮膚結構分三層，最外層的是表皮。有些表皮上會長有毛髮，但毛髮的根部長在屬於第二層的真皮裡。表皮最外層就是角質層，角質層下面是柱狀排列的蛋白質，那是製造新的皮膚細胞的地方。

真皮層裡除了有長出毛髮的毛囊、感受觸覺和溫度的神經末梢、出汗的汗腺，還有血管和微絲血管等。最裡面的一層是皮下組織，主要用途是儲存脂肪。對於冬眠的哺乳動物來説，皮下組織是很重要的營養儲存倉庫。

皮膚和毛髮的結構

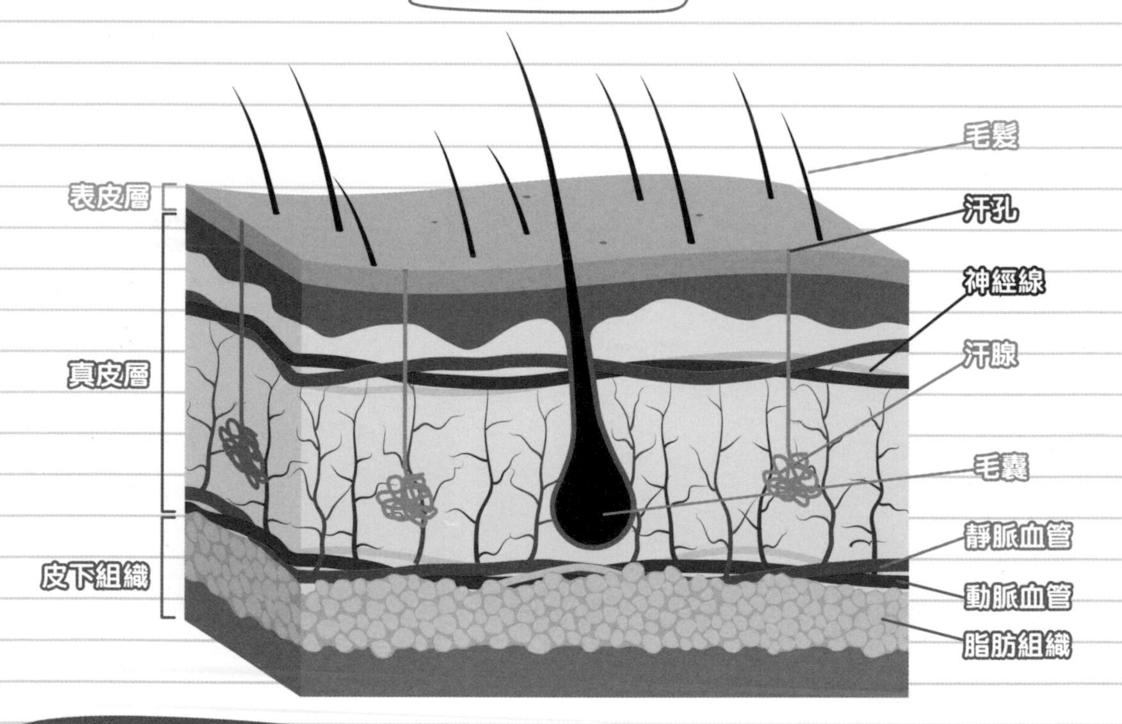

膚色深淺有作用

為什麼不同種族的人會有不同的皮膚顏色呢？主要是因為皮膚黑色素含量的不同，黑色素越多的人膚色越深，由於黑色素可以吸收陽光中的紫外線，所以膚色深的人在非洲不容易受到強烈陽光的傷害。

然而，適量的陽光照射有助於身體製造維他命 D，維他命 D 可幫助骨骼健康生長。北歐地區光照不足，過多的黑色素反而會間接妨礙維他命 D 的製造，因此當地居民的膚色都很淺。

打勝仗靠免疫系統

生病了就不能上學、不能出去玩，所以我們都不想生病。要保持健康就要注意衞生，常常洗手，不要亂碰髒東西，但這樣就可以了嗎？雖然我

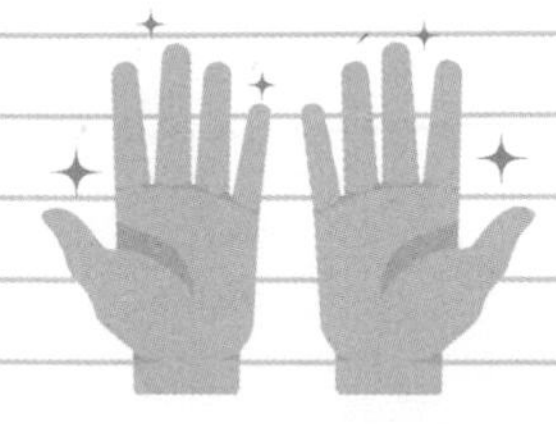

們的皮膚可以阻止有害物質進入，但病菌無處不在，連空氣中也有，不小心吸進去還是會生病，這時要打贏病菌就要靠體內的免疫系統了。

什麼是免疫系統？

免疫系統不是單一的器官或某種細胞，而是由一系列的免疫細胞和器官組成的，它們一起合作來對抗病菌及防止感染，這些包括：

免疫器官：骨髓、脾臟、淋巴結、扁桃體、小腸集合淋巴結、闌尾、胸腺等。

免疫細胞：淋巴細胞、顆粒白血球、巨噬細胞等。

免疫活性物質：抗體、溶菌酶、免疫球蛋白等由免疫細胞產生的物質。

免疫細胞

人體內有各種各樣的細胞，例如皮膚上的黑色素細胞、血液內的紅血球等等，而負責抵抗外來物質入侵的幾種我們統稱為「免疫細胞」，也就是廣義來說的「白血球」。白血球可以分辨哪些是外來的細菌或病毒，並將之清除。

白血球由骨髓的造血幹細胞產生，然後會發育成具有不同功能的巨噬細胞、顆粒白血球和淋巴細胞。巨噬細胞可以直接吞噬病原體，在肝臟、肺臟和血管裡都有，可以引起發燒反應。顆粒白血球也有吞

噬能力，並會引起過敏反應和對抗過敏原。淋巴細胞則是後天性免疫能力的來源，可以對病原體產生記憶、製造抗體，下次再受感染時啟動更強力的應對模式，迅速將入侵者消滅。

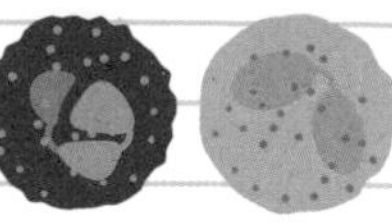

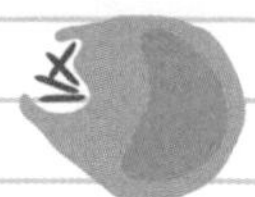

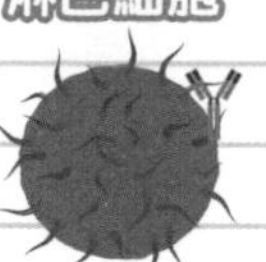

免疫器官

免疫器官是生產和發展免疫細胞的器官，由中樞免疫器官和外圍免疫器官組成。中樞免疫器官包括骨髓和胸腺等，負責生產免疫細胞；外圍免疫器官包括淋巴結和脾臟等，是免疫細胞聚集和應對病原體的地方。

免疫器官

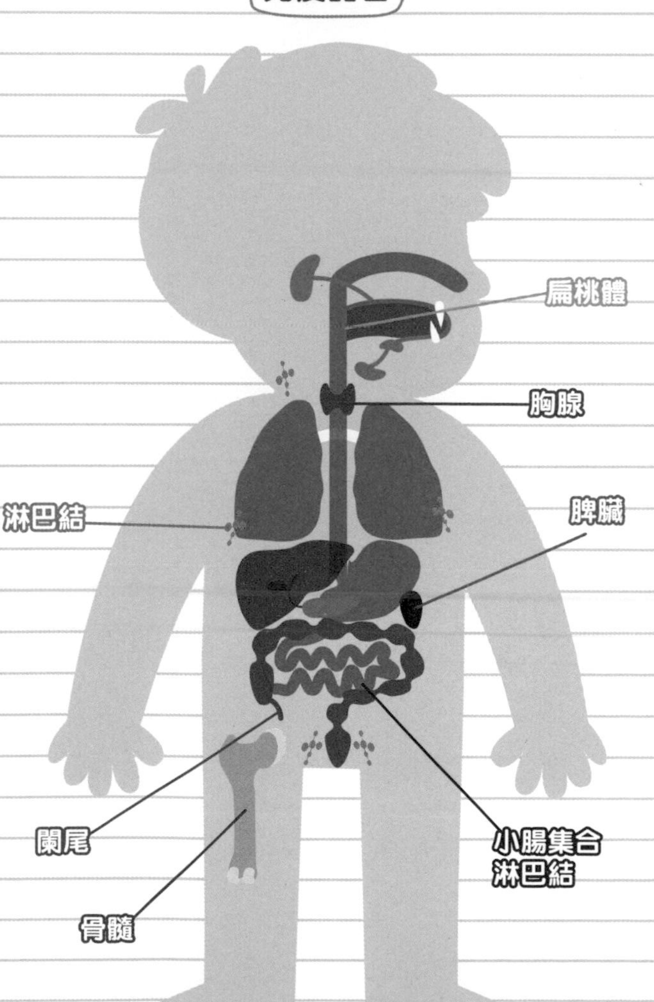

扁桃體
位於口腔後面，可產生淋巴細胞和抗體對抗病菌。

胸腺
來自骨髓的淋巴細胞會通過血液送到胸腺，在這裡發育成熟。

脾臟
脾是體內最大的淋巴器官，儲存各類淋巴細胞，清除血液中的病原體。

小腸集合淋巴結
這些淋巴結分布在小腸壁上，內有大量的淋巴細胞和巨噬細胞。

淋巴結
淋巴細胞離開胸腺後，會抵達脾臟和淋巴結，並在此發展出免疫功能，着手清除外來入侵者。

闌尾
闌尾雖是退化的器官，但有豐富的淋巴組織，具抗病作用。

骨髓
骨髓能製造紅血球、血小板和各種白血球。

身體要排毒：排泄系統

身體要健康，是否能順利排毒是很重要的，不然毒素積聚在體內就很不妙了。那什麼是「毒素」呢？不被蛇咬體內也會有毒素嗎？當然也是有的。除了吃進去但不能消化的食物殘渣外，我們的身體每天都進行新陳代謝，包括呼吸、吸收營養、細胞生長等，這些活動都會產生要排出體外的廢物，如二氧化碳、尿素及多餘的水和鹽分等，這些「毒素」若不能及時排出體外，健康就會出問題了。

從何處排泄？

肺部和肝臟排毒

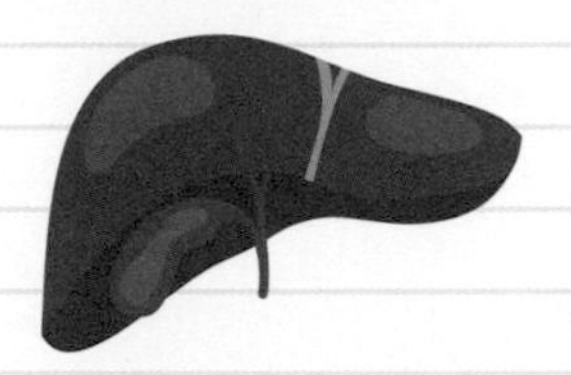

我們的身體負責排泄的主要有四個器官，分別是肺、腎、肝和皮膚。經肺部排出的廢物就是二氧化碳，以及少量呼出的蒸氣(水份)。而經肝臟處理的「毒素」則是在細胞生長和換代過程中產生的各種廢物。

細胞的代謝產物會經血液送到肝臟，肝臟將一部分毒素排進膽汁，膽汁進入消化系統，最後和食物殘渣一起變成糞便排出。另外一些毒素會在肝臟中進行化學反應，中和成水溶性物質，然後透過尿液或汗水排出體外。

皮膚排汗

你試過汗水的鹹味嗎？每個小孩子都試過吧！鹹是因為汗水中有鹽分。雖然說排汗也是一種排泄，但畢竟排汗的主要目的是為了降溫，排走鹽分只是附帶的作用。若出汗太多導致大量鹽分流失的話，也是需要做一些補充的，這就是運動後適宜飲電解質飲品的原因了。

泌尿系統

泌尿系統
腎臟
輸尿管
膀胱
尿道

尿液也是鹹的！這點不用試我們也知道，因為尿液裡也有鹽分(氯化鈉)。尿液中九成以上是水份，除鹽分外，還有各種有機物，當中含量最高的是尿素。尿素是在肝臟合成的含氮代謝物，經血液送到腎臟後排出。

腎臟是泌尿系統主要器官。泌尿系統負責產生、運送、儲存與排泄尿液，成員包括左右兩顆腎臟、左右兩條輸尿管、膀胱和尿道。血液將尿素、鹽份、水及其他成份輸送到腎臟裡形成尿液，再經過輸尿管注入膀胱。膀胱只是用以臨時儲存尿液，當尿液到達一定量時，就會令人產生尿意，並將尿液經尿道排出體外。

腎臟和腎元

腎臟是怎樣工作的呢？首先，血液經由腎動脈流入腎臟，腎臟中有大量細小的功能單位名為「腎元」，血液會在腎元中被過濾和重新吸收，留下有用的成份如營養物質，然後血液經由腎靜脈離開腎元，並將廢棄的液體排泄到腎元集尿管，最後輸入到膀胱等待排出體外。

腎元的工作方式有點像肺泡，都是器官內最基本的工作單位，也是血液交換物質的地點。人體肺部的肺泡大約有 3 億個以上，而腎元共有 2 百萬個。

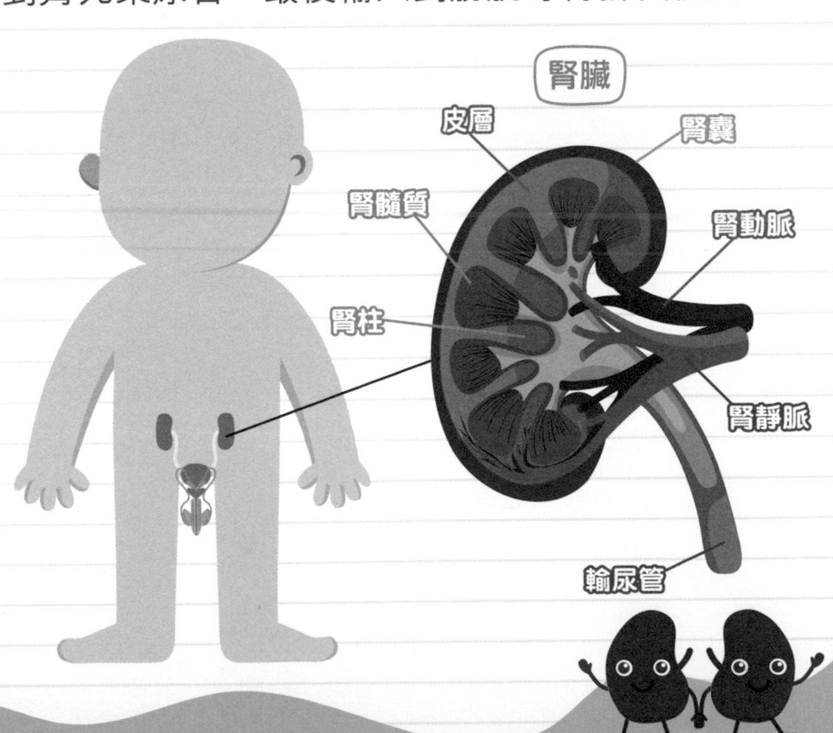

男孩女孩：我們怎樣誕生

我們的朋友有男孩子，也有女孩子，大家的喜好和外表或許會不一樣，但在身體內，男孩和女孩的器官系統大致是一樣的，只有生殖系統依性別有所不同。

生殖系統會分泌激素，影響每個人的成長和發育，由於男性和女性生殖系統會分泌不一樣的激素，所以當小朋友長大了，無論是行為和外表，男孩和女孩看起來分別會越來越大。

生殖系統

男性生殖系統主要的功能是提供精子，令女性的卵子受精。而女性生殖系統不但生產卵子，也是嬰兒胚胎發育和誕生的地方。

生殖系統由內生殖器與外生殖器組成。男性的內生殖器包括睾丸、輸精管和前列腺等。睾丸是生產精子的地方，精子通過輸精管進入尿道，最後經外生殖器排出體外；前列腺則參與製造精液及轉化雄性激素。

女性的內生殖器則由卵巢、輸卵管、子宮和陰道組成。卵巢製造卵子 (卵細胞) 和合成雌性激素，卵子在輸卵管內受精後進入子宮。子宮則是嬰兒胚胎發育的地方，約十個月後嬰兒會經過陰道生出來。

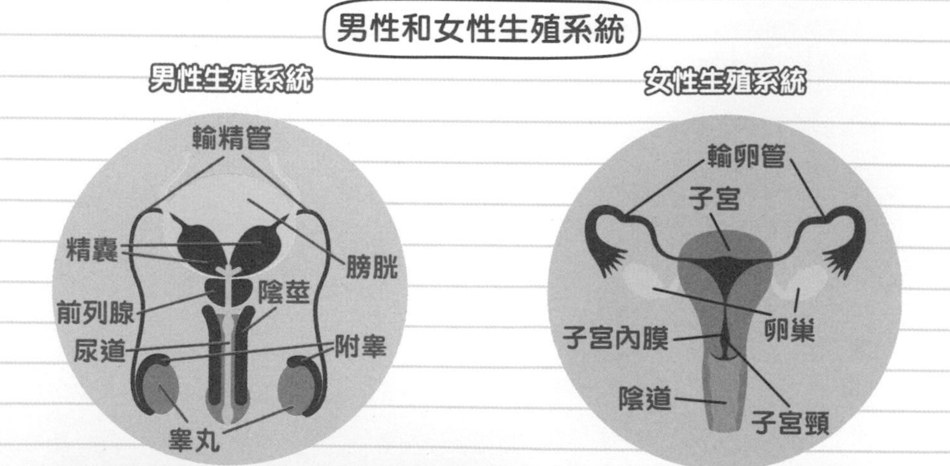

精子和卵子

精子的形狀像一隻小蝌蚪，長約 0.05 毫米。男性每一次可以製造數億個精子，但女人每次只能製造一個卵子。精子的頭部攜帶着遺傳基因，擺動尾部游向卵子，每次只有一個精子可成功和卵子結合成為受精卵。

十月懷胎

受精卵會在頭幾天一變二，二變四那樣分裂成多個細胞，然後進入子宮內慢慢長成嬰兒的形狀。八個月後胎兒移動成頭朝下的姿勢，到第十個月就從媽媽的肚子裡生下來。

1 至 9 個月胎兒發育圖

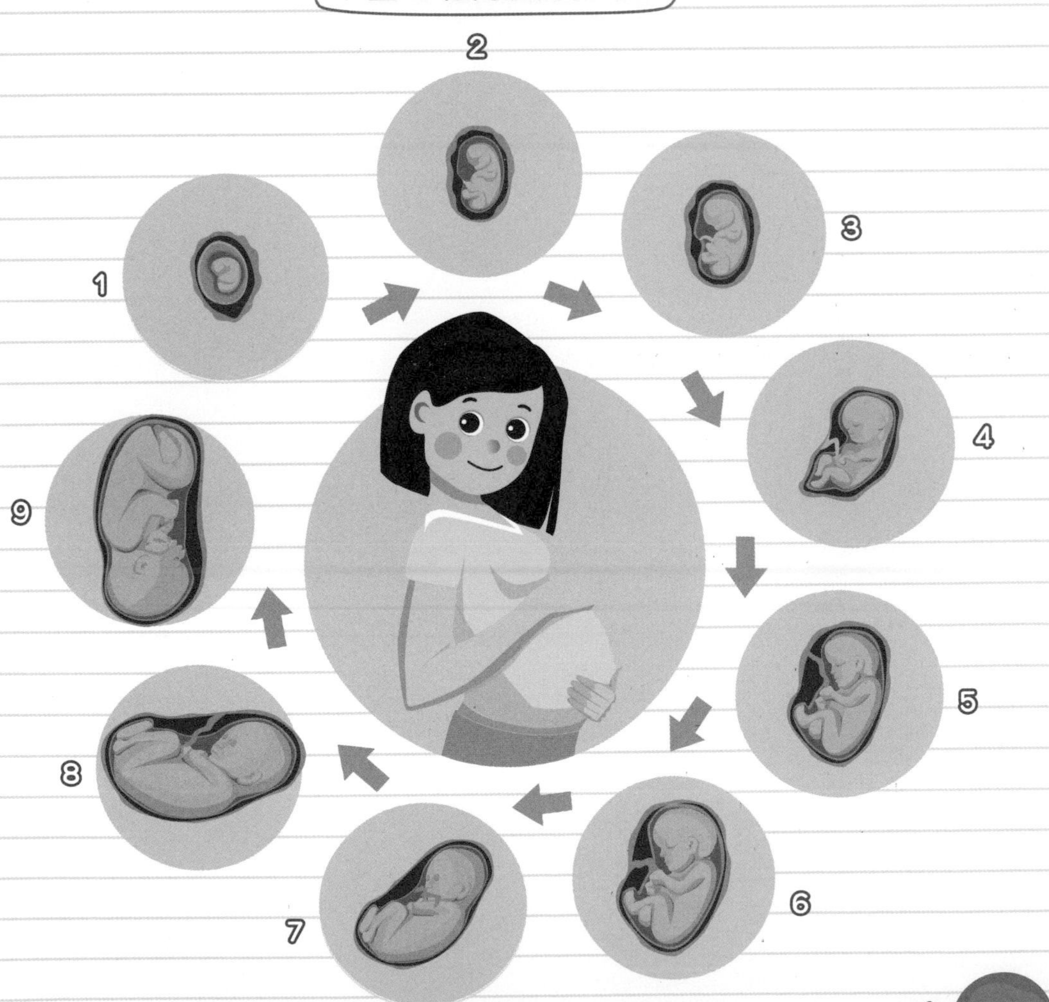

細小的細胞組成人體

奇妙的人體之旅到此接近尾聲了，還有什麼可以討論的呢？

當然，除了本書介紹的人體系統之外，其實還有更神秘的內分泌系統和淋巴系統等，但這些都需要更多的基礎知識才能了解，而這一篇則從微觀的角度來探討人體運作。

你可能已留意到，人體系統都是由不同的器官組成的，例如呼吸系統由橫膈膜、氣管和肺等器官組成，而組成器官的最基本單位其實是一個個的細胞。一群相同功能的細胞會組合起來，成為「組織」，不同的細胞和組織就構成「器官」，所以認識細胞是了解人體運作的基礎。

動物細胞和植物細胞

人類是動物，也是一種「多細胞生物」，由大量不同功能的細胞組成；而有些生物如細菌可以只有一個細胞，那些是「單細胞生物」。

動物細胞

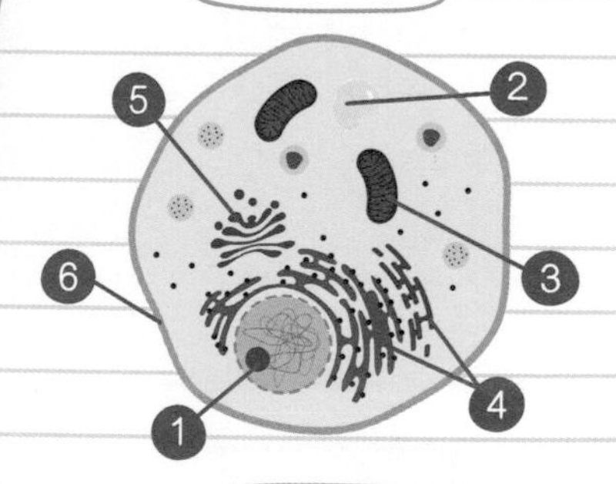

儘管如此，所有生物的細胞都有一層外膜包着裡面的細胞器（有指定功能的部分）和細胞質（維持生命的基本物質，如醣類等），但不同生物的細胞結構會有所不同，例如植物細胞有細胞壁和葉綠素，動物細胞則沒有，但兩者都有細胞核、液泡和細胞膜等的細胞器。

植物細胞

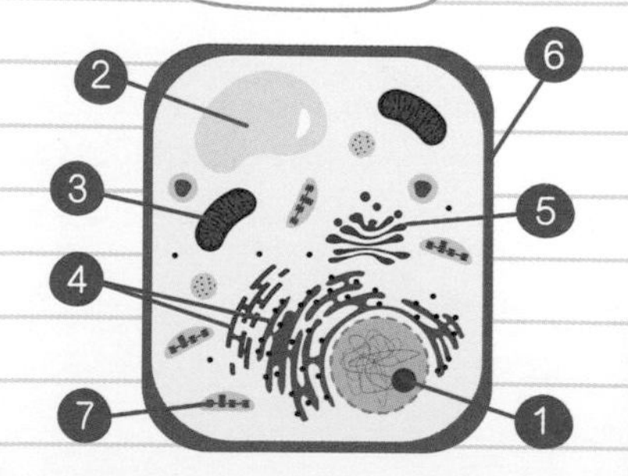

1. 細胞核：內有遺傳物質 DNA
2. 液泡：儲存水分、養分和廢物
3. 線粒體：為細胞的活動提供能量
4. 內質網：負責傳送物質
5. 高爾基體：轉運進出細胞的脂類和蛋白質等
6. 細胞壁和細胞膜：保護細胞內部和控制物質交換
7. 葉綠素：植物進行光合作用

奇形怪狀的人體細胞

對於細胞的印象，大致都是圓圓的外層包着像核桃仁那樣的東西，裡面充滿着液體，這樣想也無妨，但看過人體各類細胞後，你可能會嚇一跳。實際上有些細胞是奇形怪狀的，像外星生物那樣，這裡列舉一些常見的人體細胞。

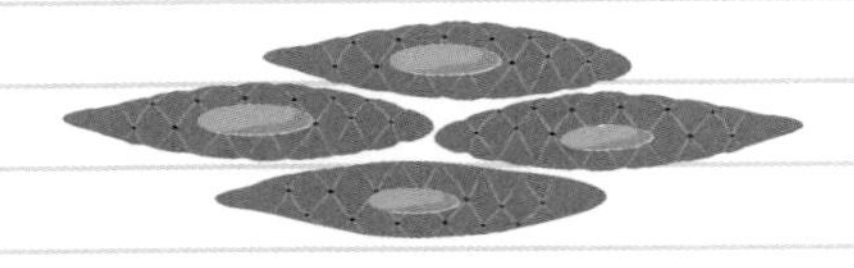

肌細胞
長形的肌細胞互相結合形成肌肉組織

紅血球
負責傳送氧氣

精子細胞
男性的生殖細胞

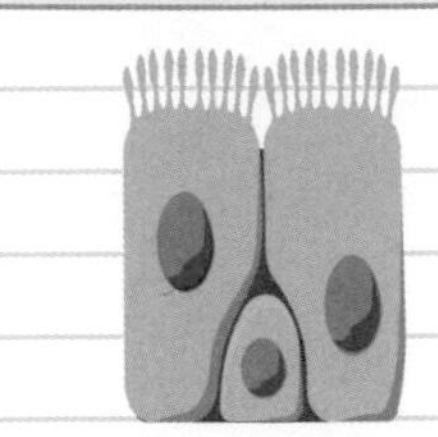

腸道細胞
位於腸內壁有消化吸收功能的細胞

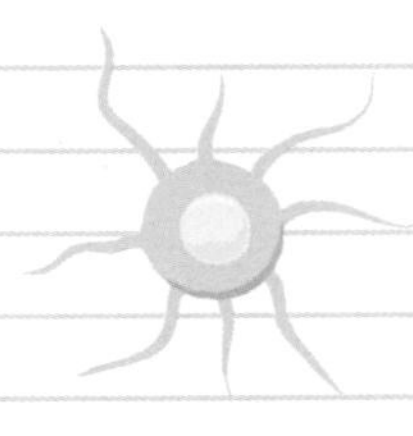

骨細胞
位於骨骼中的星形細胞

脂肪細胞
用來儲存脂肪

感光細胞
在眼球的視網膜中吸收光線

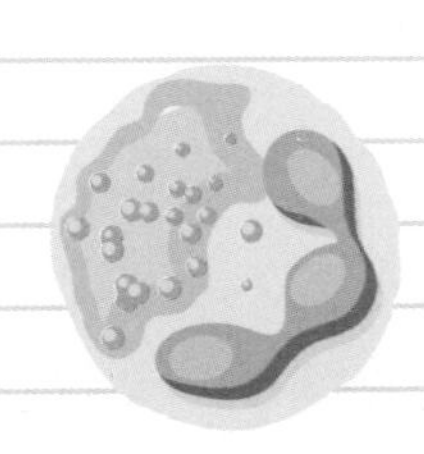

白血球
抵抗入侵病菌，有吞噬能力

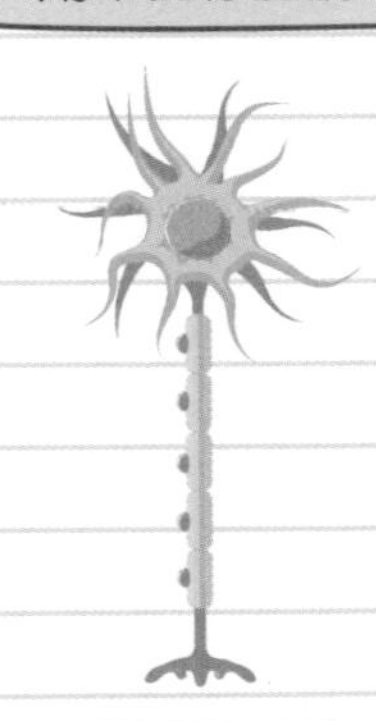

神經細胞
發射訊號傳送訊息

這些只是人體細胞的一小部分，人體細胞類型約有 200 多種，總數有數十萬億個。各類型細胞壽命並不相同，其中白血球只能活幾小時，腦神經細胞的壽命則有幾十年。各種細胞不但樣子不同，大小也不一樣，最大的是女性的卵細胞，直徑可達 200 微米；最小的細胞是血小板，直徑只有約 2 微米，展示了神奇的微觀世界。

附錄：人體器官填色

在右頁找出以下器官，並在相同器官上填上相同顏色吧！

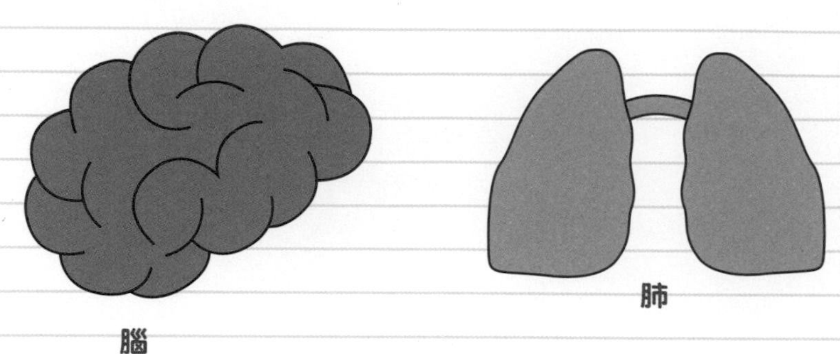

腦

肺

呼吸道和食道

膽囊和胰臟

唾腺

心臟

胸腺

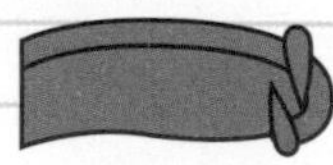

口腔

小腸

大腸

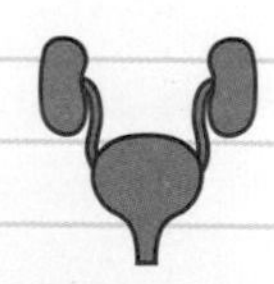

腎臟和膀胱

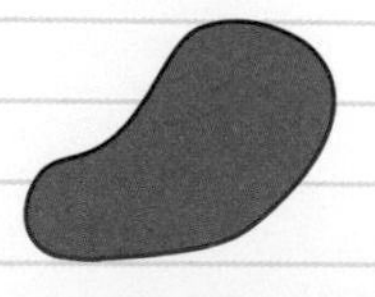

胃

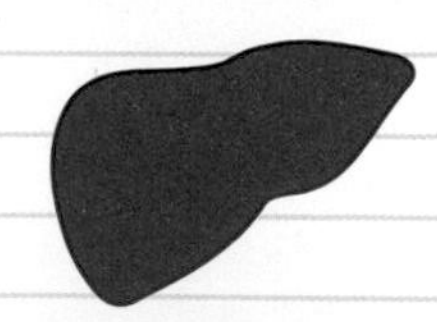

肝臟

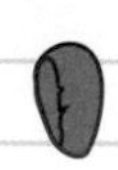

脾臟

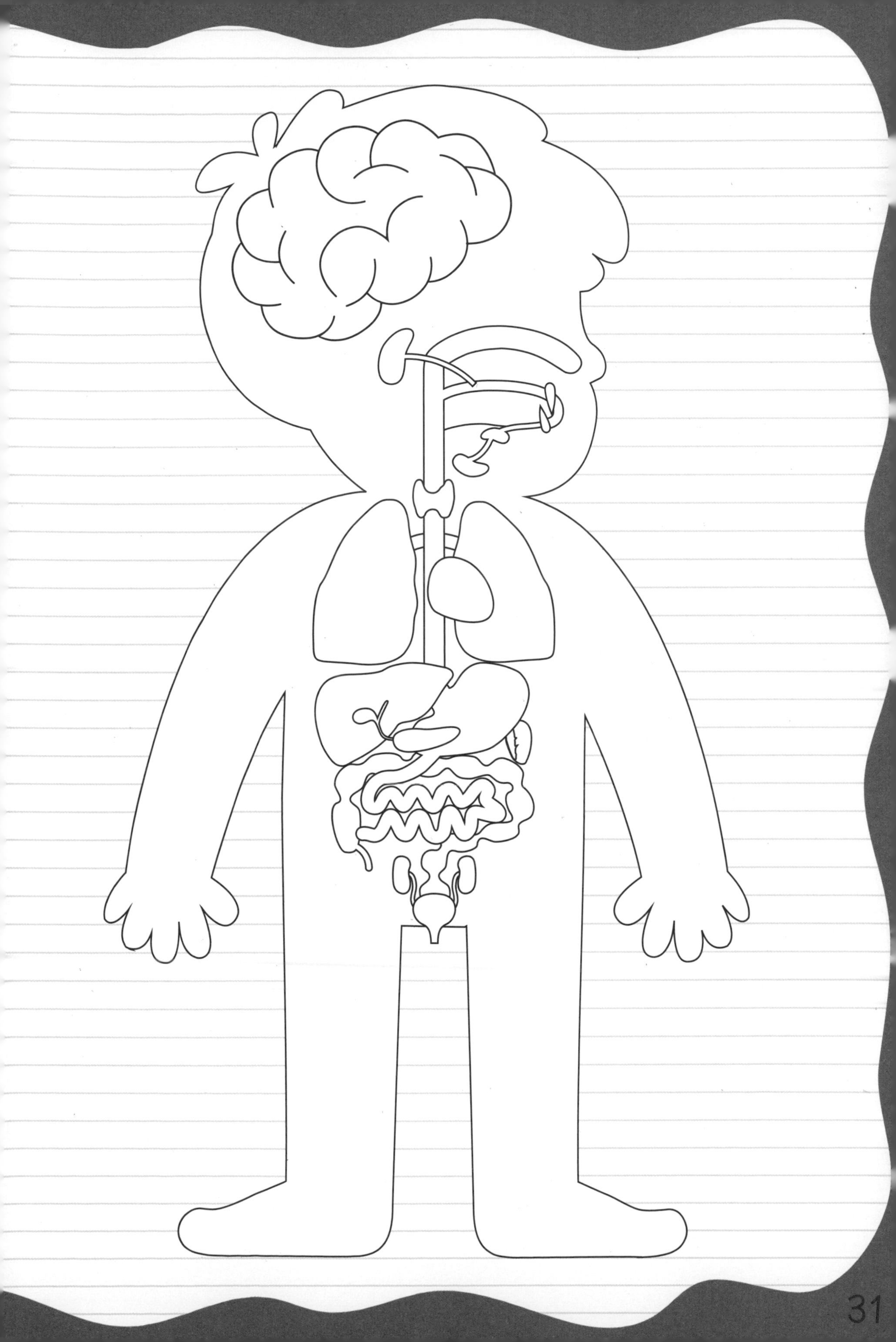

《STEM小百科——透視人體》

編著：跨版生活教科文編委會
責任編輯：高家華
版面設計：麥碧心
圖片授權：iStock.com/ikuvshinov、Tetiana Lazunova、VectorMine、stock_shoppe、kowalska-art、arborelza、Elisa Lara、blueringmedia、Godruma、Sudowoodo、tudmeak、ttsz、lukaves、MicrovOne、Bulgakova Kristina、buzstop、colematt、Nataliya Iakubovskaia、Trinset

出版：跨版生活圖書出版
地址：荃灣沙咀道11-19號達貿中心211室
電話：3153 5574　　傳真：3162 7223
網頁：http://www.crossborderbook.net
專頁：http://www.facebook.com/crossborderbook
電郵：crossborderbook@yahoo.com.hk

發行：泛華發行代理有限公司
地址：香港新界將軍澳工業邨駿昌街7號星島新聞集團大廈
電話：2798 2220　　傳真：2796 5471
網頁：http://www.gccd.com.hk
電郵：gccd@singtaonewscorp.com

台灣總經銷：永盈出版行銷有限公司
地址：231新北市新店區中正路499號4樓
電話：(02)2218 0701　　傳真：(02)2218 0704

印刷：鴻基印刷有限公司

出版日期：2021年6月第1版
定價：HK$49　NT$190
ISBN：978-988-75023-7-1

出版社法律顧問：勞潔儀律師行